대통령 문재인

2017
0510
2022
0509

화보집

2017
0510
2022
0509

개표 방송을 보며 활짝 웃고 있는 문재인 대통령 | 2017.5.10

당선 축하를 받는 문재인 대통령 | 2017.5.10

손인사하는 문재인 대통령 | 2017.5.10

취임 후 첫 주말에 기자들과 산행에 나선 문재인 대통령 | 2017.5.13

산행 전 청와대 잔디밭에서 물을 마시는 모습 | 2017.5.13

제37주년 5·18광주민주화운동 기념식에서 유족을 안아주며 위로하는 문재인 대통령 | 2017.5.18

〈님을 위한 행진곡〉 작곡가와 함께 손을 잡고 제창하는 모습 | 2017.5.18

제37주년 5·18광주민주화운동 기념식을 마치고 유가족을 위로하는 모습 | 2017.5.18

노무현 전 대통령 8주기 추도식에 참석한 문재인 대통령 | 2017.5.23

노무현 전 대통령 8주기 추도식에서 인사말을 하는 문재인 대통령 | 2017.5.23

노무현 전 대통령 8주기 추도식에서 인사말을 마친 뒤 단상을 내려오는 문재인 대통령 | 2017.5.23

노무현 전 대통령 8주기 추도식을 마친 뒤 분향하는 문재인 대통령 | 2017.5.23

제30주년 6·10민주항쟁 기념식에서 기념사를 하는 문재인 대통령 | 2017.6.10

제30주년 6·10민주항쟁 기념식에서 〈광야에서〉를 부르는 문재인 대통령과 김정숙 여사 | 2017.6.10

사진작가 킴 뉴튼 씨로부터 이한열 열사 사진을 전달받는 문재인 대통령 | 2017.6.10

제72주년 광복절 경축식에서 경축사를 하는 문재인 대통령 | 2017.8.15

제72주년 광복절 경축식에서 참석자들과 함께 '만세삼창'을 하는 모습 | 2017.8.15

광복절에 백범 김구 묘역을 찾은 문재인 대통령 | 2017.8.15

세계시민상 수상식장에서 라가르드 IMF 총재와
인사하는 문재인 대통령 | 2017.9.20

세계시민상 수상식에 참석한 문재인 대통령 | 2017.9.20

라가르드 IMF 총재로부터 미국대서양협의회 세계시민상을 수상하는 모습 | 2017.9.20

UN 총회에서 기조연설을 하는
문재인 대통령 | 2017.9.21

건군 69주년 국군의 날 기념식을 마치고 장병들의 경례에 답례하는 문재인 대통령 | 2017.9.28

국군의 날 기념식에서 사열하고 있는 문재인 대통령 | 2017.9.28

사람까지
품으로!
진상규명!

국회 본회의장에서 시정연설을 하는 문재인 대통령 | 2017.11.1

‘소방 충혼탑’을 참배한 문재인 대통령 | 2017.11.3

고(故) 한상윤 소방장의 유족인 막내딸의 손을 잡고 위로하는 모습 | 2017.11.3

소방관 유니폼에 사인을 하는 문재인 대통령 | 2017.11.3

아세안·한국 정상회의에 참석한 문재인 대통령 | 2017.11.13

아세안 기업투자서밋(ABIS)에서 참가자들과 기념사진을 찍는 모습 | 2017.11.13

중국 베이징대학교 학생들의 환영 속에 입장하는 문재인 대통령 | 2017.12.15

충칭 임시정부 청사를 방문하여 역사전시실을 둘러보는 모습 | 2017.12.16

충칭 임시정부 청사에서 방명록을 작성하는 문재인 대통령 | 2017.12.16

충칭 임시정부 청사에서 참석자들과 함께한 기념 촬영 | 2017.12.16

'새해 국정 운영'을 발표하는 문재인 대통령 | 2018.1.10

신년 기자회견에서 평창 동계 올림픽 마스코트인 수호랑을 든 기자를 보고 웃는 모습 | 2018.1.10

각본 없이 열린 신년 기자회견에서 질문하기 위해 손을 든 기자들 | 2018.1.10

제99주년 3·1절 기념식에서 기념사를 하는 문재인 대통령 | 2018.3.1

서대문 형무소 역사관에서 열린 제99주년 3·1절 기념식에 참석한 문재인 대통령 내외 | 2018.3.1

서대문 형무소 역사관에서 독립문까지 대형 태극기를 들고 행진한 뒤 만세삼창을 하는 모습 | 2018.3.1

만세운동 재연 행진을 하는 문재인 대통령 내외 | 2018.3.1

제74기 육사 졸업 및 임관식에서 위탁생도들에게 명예 소위 계급장을 달아주는 모습 | 2018.3.6

육사 졸업생들과 함께 정모를 하늘 높이 던지는 모습 | 2018.3.6

2018 평창 동계 패럴림픽 개회식에 앞서 평화 올림픽의 의미를 강조하는 문재인 대통령 | 2018.3.9

2018 평창 동계 패럴림픽 개회식에서 손을 흔드는 문재인 대통령 | 2018.3.9

제70주년 4·3 희생자 추념식에서 추모사를 하는 문재인 대통령 | 2018.4.3

4·3 영령들을 추모하는 문재인 대통령 | 2018.4.3

판문점 남측 평화의 집 앞에서 열린 공식 환영식에서 국군의장대를 사열하는 남북 정상 | 2018.4.27

'2018 남북정상회담'에 앞서 기념 촬영을 하며 함박웃음을 짓는 양 정상의 모습 | 2018.4.27

판문점 평화의 집에서 환송 공연이 끝난 뒤 헤어지는 모습 | 2018.4.27

순직 소방관 3인의 추모식에서 유가족을 위로하는 문재인 대통령 | 2018.6.6

100
대통령직속
및 대한민국임시정부 수립
기념사업추진위원회
출범식

서울 구로구 행복주택 입주민들과 인사하는 문재인 대통령 | 2018.7.5

"아이를 위한 행복주택을 짓겠습니다" 미소짓는 문재인 대통령 | 2018.7.5

일본군 위안부 피해 생존자 할머니와 인사를 나누는 문재인 대통령 | 2018.8.14

광복절 기념식장에서 태극기를 흔들고 있는 문재인 대통령 내외 | 2018.8.15

광복절 기념식에서 독립유공자 유가족에게 건국훈장을 수여하는 문재인 대통령 | 2018.8.15

제73주년 광복절을 맞아 국립중앙박물관에서 가장 오래된 태극기(데니 태극기)를 살펴보며 | 2018.8.15

평양공동선언문에 합의한 남북 정상 | 2018.9.19

평양 능라도 5월1일 경기장에서 손을 맞잡은 남북 정상 | 2018.9.19

평양 능라도 5월1일 경기장에서 15만명의 평양 시민에게 연설하는 문재인 대통령 | 2018.9.20

남북 정상 내외, 백두산 천지에 오르다 | 2018.9.20

국군유해봉환행사에서 6·25참전 전사자 앞에서 묵념하는 모습 | 2018.10.1

세계 한인의 날 기념식에서 축사를 하는 문재인 대통령 | 2018.10.5

2018 대한민국 해군 국제관함식에서 해상사열을 보며
거수경례하는 문재인 대통령 | 2018.10.11

프랑스 한불 우정콘서트에서 만난 BTS와 함께 | 2018.10.15

로마 베드로 대성당에서 열린 '한반도평화 특별미사'에 참석한 문재인 대통령 내외 | 2018.10.18

북악산 등산 중에 만난 시민들과 인사 나누는 대통령 | 2018.10.28

일자리 예산안 연설을 마치고 국회를 나서는 문재인 대통령 | 2018.11.1

싱가포르 지하철 차량기지 공사장을 찾아 웃음짓는 대통령 | 2018.11.15

아르헨티나 동포의 눈물을 위로하는 문재인 대통령 | 2018.11.30

청와대에서 크리스마스 트리를 장식하는 대통령 내외의 모습 | 2018.12.7

"질문 있습니다!" 질문권을 얻기 위한 공세에 미소짓는 문재인 대통령 | 2019.1.10

2019년 신년 기자회견을 하는 문재인 대통령 | 2019.1.10

자영업 · 소상공인과의 대화에서 인사말하는 문재인 대통령 | 2019.2.14

소상공인 참석자의 질문을 받아적는 대통령의 모습 | 2019.2.14

유한대학교 졸업식에서 졸업생을 격려하는 문재인 대통령 | 2019.2.21

안중근 의사의 묘비를 살펴보는 문재인 대통령 | 2019.2.26

문재인 대통령 내외의 제100주년 3·1절 기념식장 입장 | 2019.3.1

제100주년 3·1절 행사 중 만세삼창을 외치는 대통령 내외 | 2019.3.1

해외 독립유공자 후손의 손을 잡는 문재인 대통령 | 2019.3.1

해군사관학교 임관식이 끝나고 신임 장교들과 함께 | 2019.3.5

국무회의장에 입장하는 문재인 대통령 | 2019.3.19

물의 날 행사장에서 어린이들과 기념촬영 하는 문재인 대통령 | 2019.3.22

외국투자기업인 간담회에서 제프리 존스 주한미상의 이사장과 함께 | 2019.3.28

강원도 고성, 인제군 산불피해 주민들을 위로하며 | 2019.4.5

군 진급 장성들의 신고를 받는 문재인 대통령 | 2019.4.5

황운정 애국지사에게 건국훈장 애국장을 헌정하는 문재인 대통령 | 2019.4.21

청와대 영빈관, 국가유공자 및 보훈가족 초청 오찬 행사 | 2019.6.4

'2019 국제축구연맹(FIFA) U20 월드컵'에서 준우승을 한 축구대표팀과의 초청 만찬 | 2019.6.19

G20 정상회의를 마치고 방한한 도널드 트럼프 미국 대통령을 환영하는 문재인 대통령 내외 | 2019.6.29

청와대 녹지원, 주한외교단 초청 리셉션 | 2019.10.18

〈2019 국민과의 대화, 국민이 묻는다〉에서 패널들의 질문에 답하고 있는 문재인 대통령 | 2019.11.19

〈2019 국민과의 대화, 국민이 묻는다〉 종료 후 시간 관계상 받지 못한 질문지를
전달받고 있는 문재인 대통령 | 2019.11.19

한·아세안 특별정상회의 참석차 방한한 하사날 볼키아 브루나이 국왕 공식환영식에 초청받은 어린이들과 함께 | 2019.11.24

부산 벡스코 컨벤션홀, 2019 한·아세안 특별정상회의 공동언론발표 | 2019.11.26

전북 전주시 농수산대학교, 농정틀 전환을 위한 2019 타운홀미팅 보고대회 | 2019.12.12

청와대에서 사랑의열매 모금함에 성금을 넣고 있는 문재인 대통령 내외 | 2019.12.20

베이징 인민대회당, 시진핑 중국 국가주석과의 정상회담 | 2019.12.23

쓰촨성 청두 세기성 국제회의센터, 한·중·일 정상회의 | 2019.12.24

서울 서초구 예술의전당, 문화예술인 신년인사회 | 2020.1.8

청와대 영빈관, 2020년 신년 기자회견 | 2020.1.14

정부세종청사 구내식당, 신임 공무원들과 점심을 함께 하고 있는 문재인 대통령 | 2020.1.21

설 명절을 앞둔 농협 농수산물유통센터에서 판매 직원들과 인사하며 | 2020.1.23

충남 아산시 온양온천 전통시장에서 상인들과 함께 | 2020.2.9

남대문 시장에서 시민들과 인사하며 | 2020.2.12

남대문 시장 상인들과의 신종 코로나바이러스 관련 오찬 간담회 | 2020.2.12

청와대에서 열린 영화 '기생충' 제작진 및 배우 초청 오찬에서 | 2020.2.20

국회에서 문희상 의장과 면담 뒤 여야 정당대표를 만나기 위해 사랑재로 이동하고 있는 문재인 대통령 | 2020.2.28

종로구 배화여고, 3·1절 기념식 참석자들과 함께 만세삼창을 하고 있는 문재인 대통령 내외 | 2020.3.1

청주 공군사관학교 졸업 및 임관식에서 | 2020.3.4

마스크 생산업체를 방문해서 마스크 원자재 창고를 둘러보고 있는 문재인 대통령 | 2020.3.6

마스크 생산업체를 방문해서 직원들을 격려하며 | 2020.3.6

충남 아산시 경찰대학에서 열린 신임경찰 임용자들로부터 경례를 받고 있는 문재인 대통령 | 2020.3.12

서울시청, 코로나19 대비 서울시 재난안전대책본부 상황실에서 직원들을 격려하며 | 2020.3.16

코로나19 진단시약 긴급사용 승인 기업 대표들과의 간담회 모습 | 2020.3.25

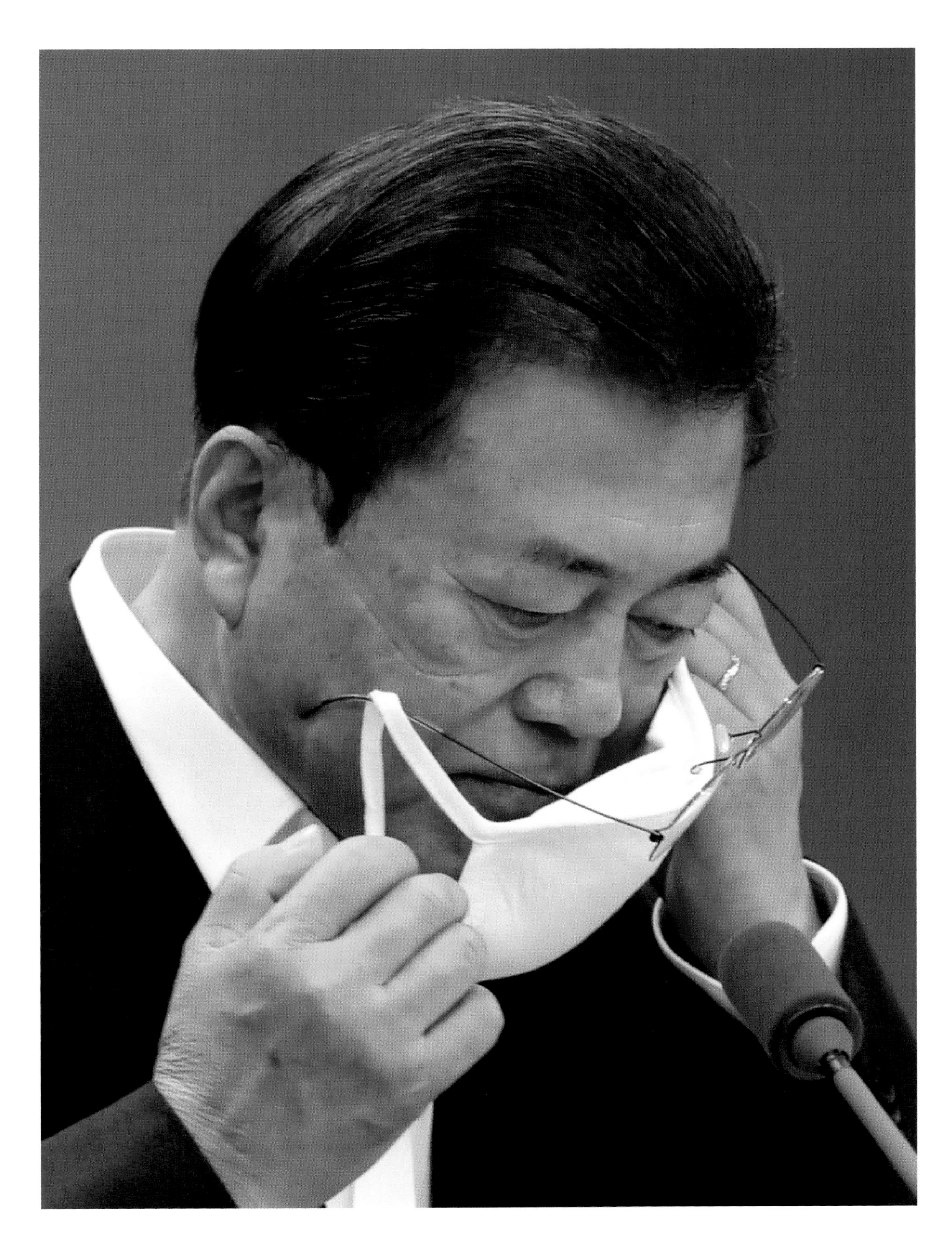

'제72주년 제주4·3 희생자 추념식'에서 편지를 낭독한 희생자 유족 김대호 군을 격려하는 문재인 대통령 | 2020.4.3

식목일을 맞아 1년 전 대형 산불로 피해를 보았던 강원도 주민들과 인사하며 | 2020.4.5

1년 전 대형 산불로 피해를 본 강원도 재조림지에 금강소나무를 심고 있는 문재인 대통령 내외 | 2020.4.5

신종 코로나바이러스 감염증(코로나19) 치료제 백신 계발 연구시설에서 화합물 처리 과정에 대한 설명을 듣고 있는 문재인 대통령 | 2020.4.9

서울 종로구 삼청동 주민센터, 제21대 국회의원 선거 사전투표를 하고 있는 문재인 대통령 내외 | 2020.4.10

서울 서대문독립공원 어울쉼터, 제101주년 대한민국임시정부 수립 기념식에서 | 2020.4.11

서울 서대문독립공원 어울쉼터, 제101주년 대한민국임시정부 수립 기념식에서 | 2020.4.11

경남 거제시 대우조선해양 옥포조선소, 세계 최대 컨테이너선 '알헤시라스'호 명명식에서 | 2020.4.23

의료인에게 고마움을 전하는 '덕분에 챌린지'에 참여하고 있는 문재인 대통령 | 2020.4.27

오전 청와대 국무회의 | 2020.4.28

서울 광진구 워커힐 호텔, 코로나19 극복 고용유지 현장간담회 | 2020.4.29

등교 개학을 앞둔 고등학교를 방문해서 급식실을 점검하며 | 2020.5.8

등교 개학을 앞둔 고등학교를 방문해서 학생들에게 메시지를 남기고 있는 문재인 대통령 | 2020.5.8

실시간 온라인 수업 중인 학생들과 대화하고 있는 문재인 대통령 | 2020.5.8

청와대 춘추관, 취임 3주년을 맞은 문재인 대통령의 대국민 특별연설 | 2020.5.10

청와대 국무회의에서 | 2020.5.12

“힘내라 대한민국” 마스크를 쓴 문재인 대통령 | 2020.5.21

6·25전쟁 70주년을 맞아, 백마흔일곱 분 용사의 유해를 모시는 문재인 대통령 | 2020.6.25

'대한민국 동행세일 가치삽시다'에 참석한 문재인 대통령 내외 | 2020.7.2

소재, 부품, 장비 등 이른바 '소·부·장' 육성을 위한 전략 논의를 위해 SK하이닉스를 방문한 문재인 대통령 | 2020.7.9

경남 하동군 화개장터 집중호우 피해현장에서 자원봉사자를 격려하는 문재인 대통령 | 2020.8.12

충남 천안시 집중호우 피해현장 제방을 둘러보기 위해 장화를 신고 있는 문재인 대통령 | 2020.8.12

제75주년 광복절 경축식에서 광복절 노래를 제창하는 문재인 대통령 내외 | 2020.8.15

제75주년 광복절 경축식에서 독립유공자 가족에 인사하는 문재인 대통령 | 2020.8.15

초대 정은경 질병관리청장에게 임명장을 수여하는 문재인 대통령 | 2020.9.11

육군 특수전 사령부에서 개최된 국군의 날 기념식 행사에 참석한 문재인 대통령 | 2020.9.25

친환경 미래차 현장인 현대자동차 울산공장을 방문한 문재인 대통령 | 2020.10.30

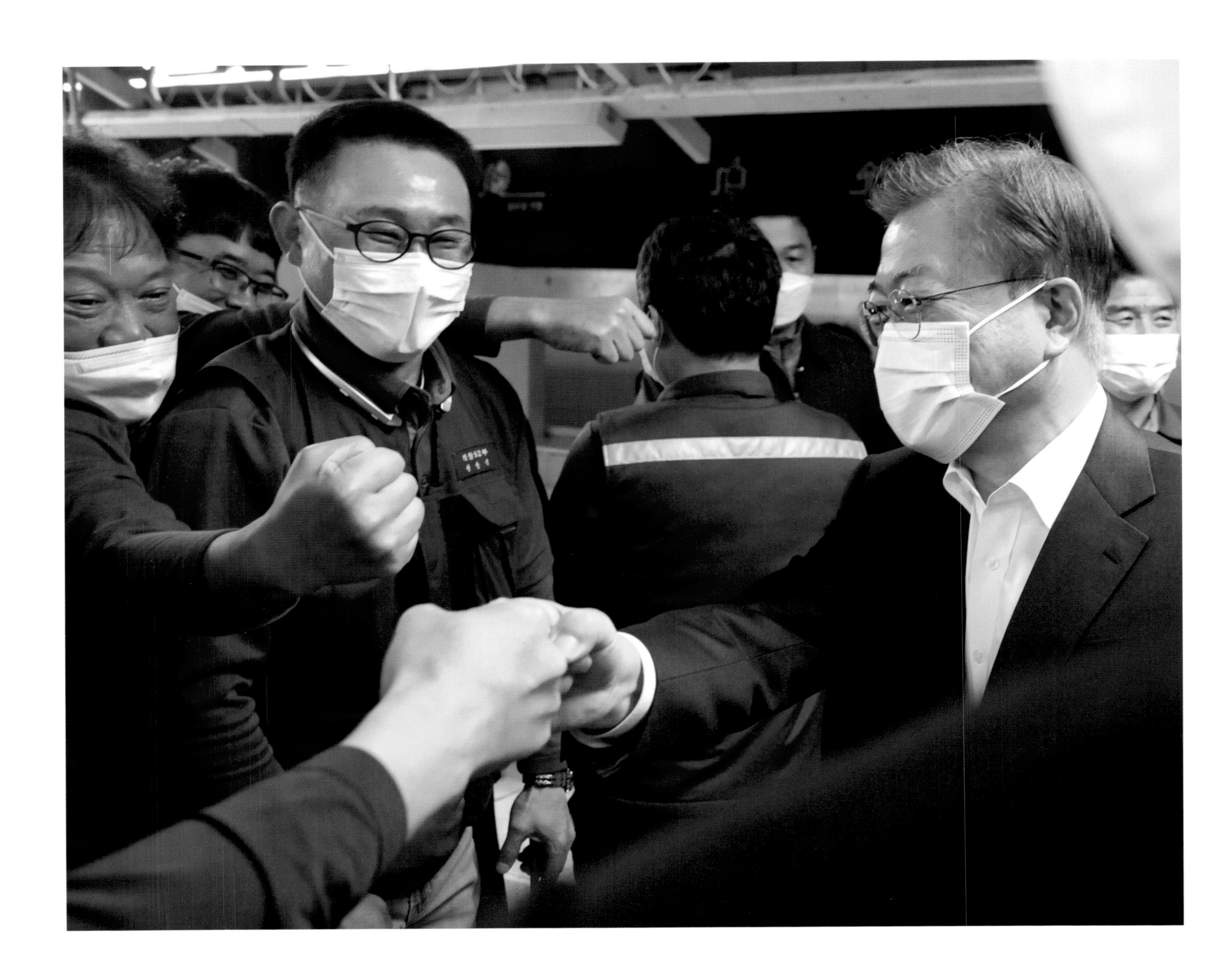

1968년 이후 일반인의 출입이 제한된 북악산 북쪽 탐방로를 시민들께 개방한 문재인 대통령 | 2020.10.31

북악산 산행을 마치고 어린이들과 함께 사진을 찍는 문재인 대통령 | 2020.10.31

사우디아라비아 리야드에서 개최된 '리야드 G20 정상회의'에 참석한 문재인 대통령 | 2020.11.21

'수능 방역 현장점검'을 위해 서울 오산고를 방문한 문재인 대통령 | 2020.11.29

청와대에서 열린 '2020 기부 나눔단체 초청 행사'에서 성금을 기부하는 문재인 대통령 내외 | 2020.12.4

공공임대주택 100만 호 준공을 기념해 화성 동탄 행복단지를 찾은 문재인 대통령 | 2020.12.11

원주역에서 열린 중앙선 원주-제천 간 철도 복선화 개통식에 참석한 문재인 대통령 | 2021.1.4

청와대에서 온·오프라인 신년 기자회견을 통해 국민과 소통하는 문재인 대통령 | 2021.1.18

2021 세계경제포럼에서 특별연설을 하는 문재인 대통령 | 2021.1.27

한 – 우즈베키스탄 화상 정상회담에서 인사하는 문재인 대통령 | 2021.1.28

전남 신안군 임자2대교에서 열린 세계 최대 해상풍력단지 투자협약식에 참석해 발언하는 문재인 대통령 | 2021.2.5

인천시 소래포구 전통어시장에서 생굴을 구입하는 문재인 대통령 내외 | 2021.2.10

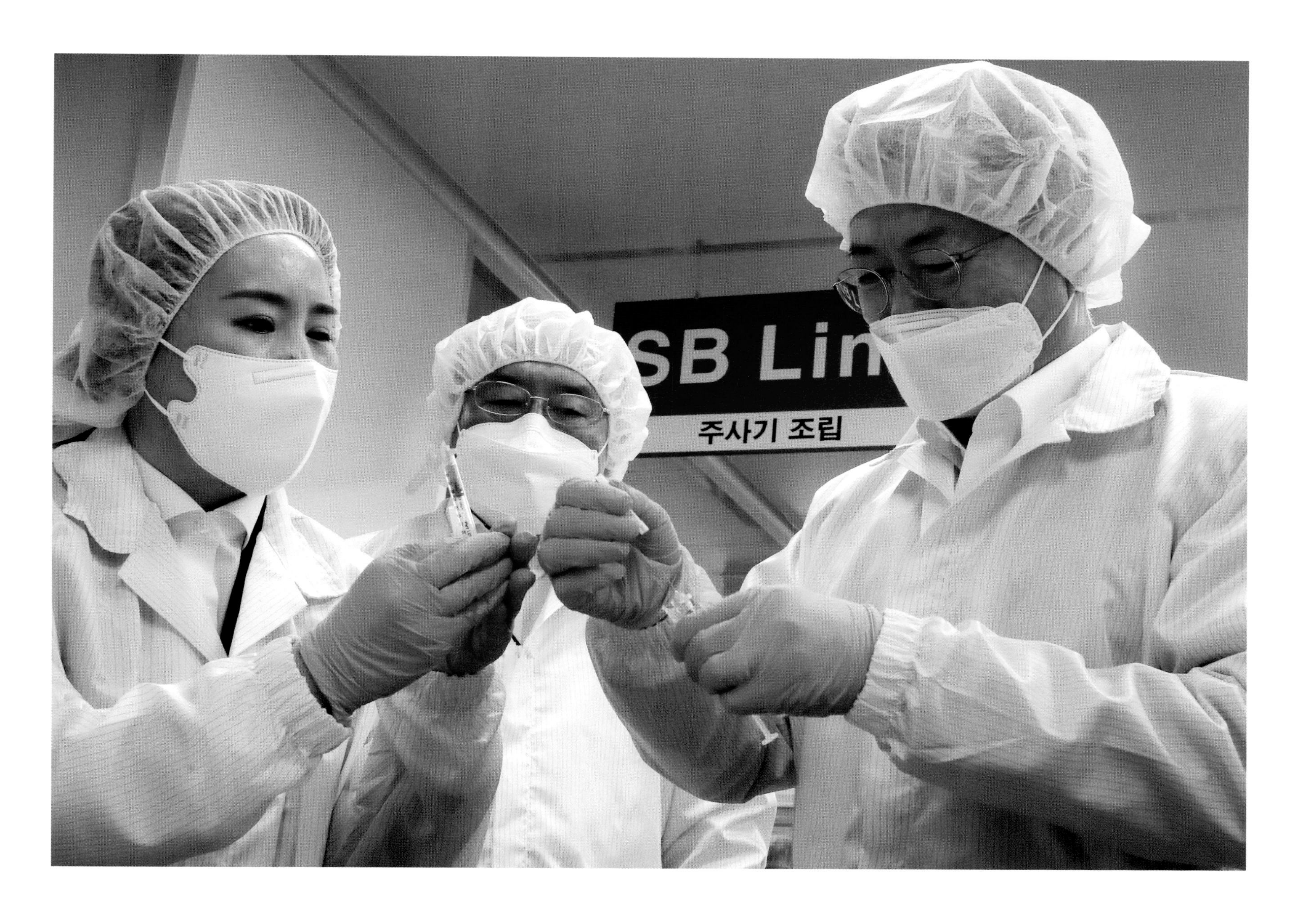

코로나 백신 예방접종에 사용될 최소잔여형 주사기 생산업체를 방문한 문재인 대통령 | 2021.2.18

서울 종로구 탑골공원에서 열린 제102주년 3·1절 기념식에서 참석한 문재인 대통령 | 2021.3.1

독립운동가 임우철 애국지사를 맞이하는 문재인 대통령 | 2021.3.1

국군간호사관학교 '제61기 졸업 및 임관식'에 참석한 문재인 대통령 | 2021.3.5

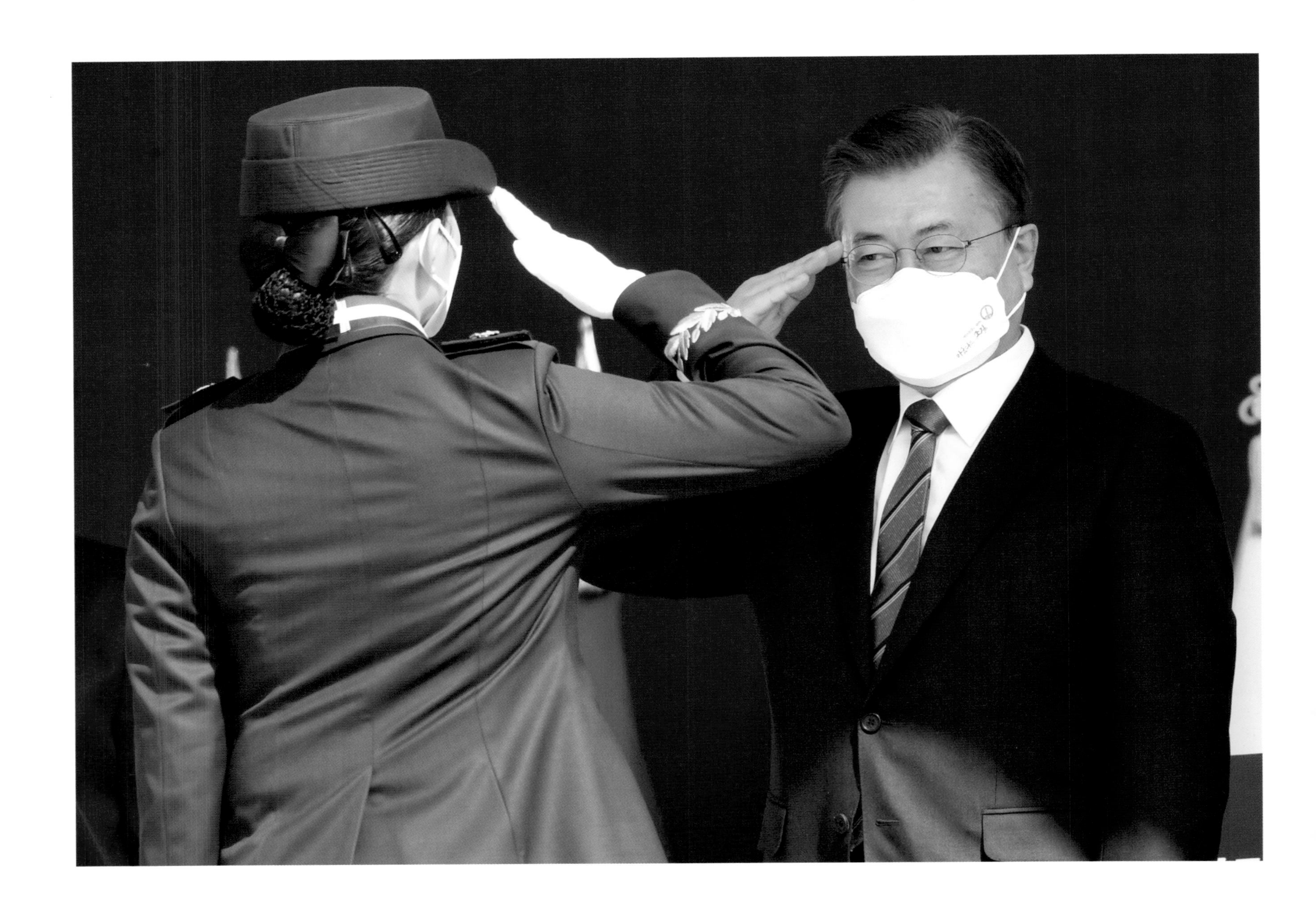

경찰대학에서 열린 '2021년 신임경찰 경위 · 경감 임용식'에 참석한 문재인 대통령 내외 | 2021.3.12

'충남 에너지 전환과 그린 뉴딜 전략보고' 행사에 참석한 문재인 대통령 | 2021.3.19

아스트라제네카(AZ)사의 코로나19 백신 주사를 맞는 문재인 대통령 | 2021.3.23

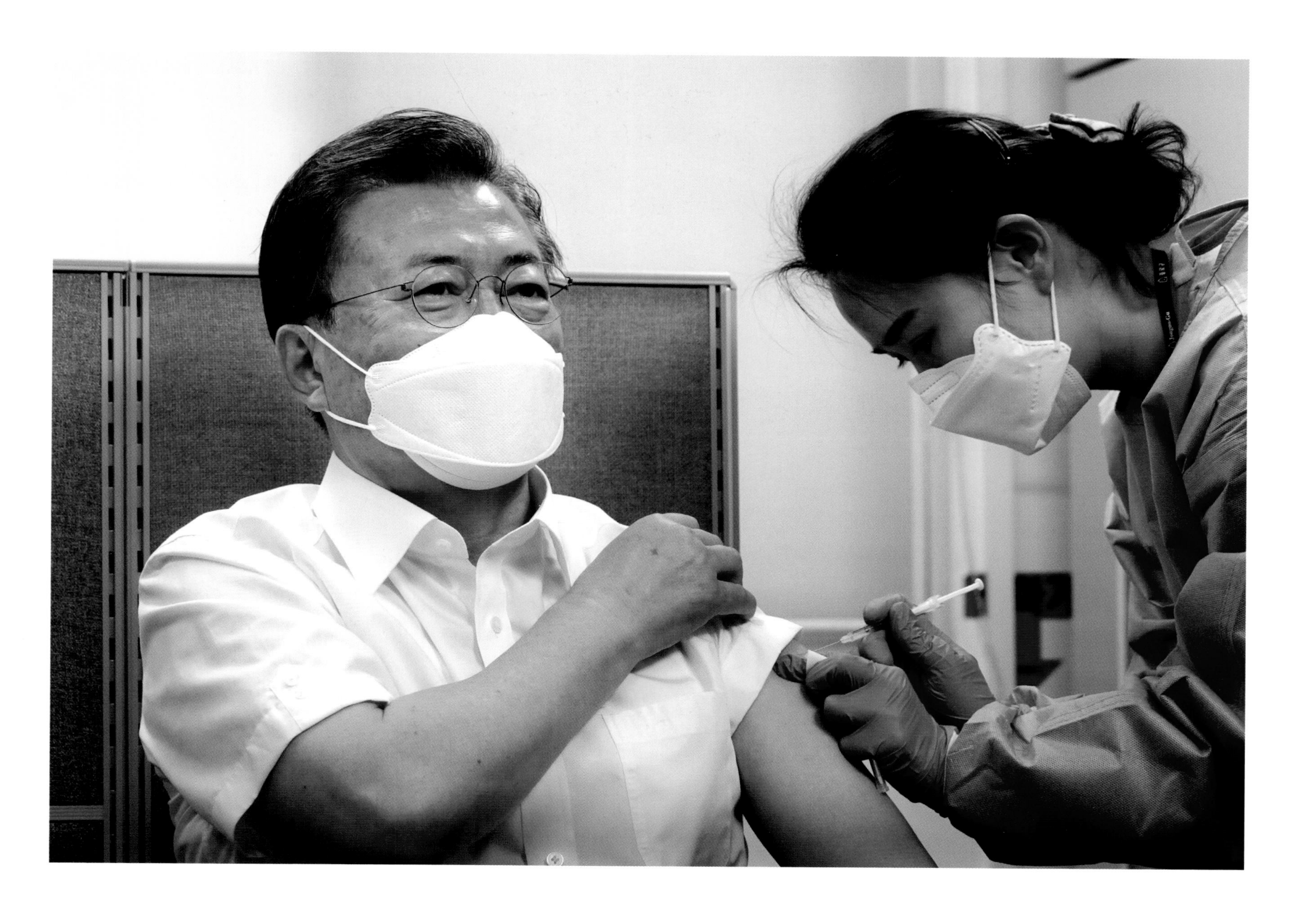

나로우주센터에서 연설하는 문재인 대통령 | 2021.3.25

반부패정책협의회에서 발언하는 문재인 대통령 | 2021.3.29

반부패정책협의회에서 엄숙하게 국민의례 하는 문재인 대통령 | 2021.3.29

‘제48회 상공의 날 기념식’에 참석한 문재인 대통령 | 2021.3.31

서울 종로구 삼청동 주민센터에서 사전투표하는 문재인 대통령 내외 | 2021.4.2

제주 4·3특별법 책에 헌화하는 김정숙 여사 | 2021.4.3

제주 4·3희생자 추념식을 마친 후 유가족을 위로하는 문재인 대통령 | 2021.4.3

“돔박꽂이 활짝 피엇수다” 마스크를 쓴 문재인 대통령 | 2021.4.3

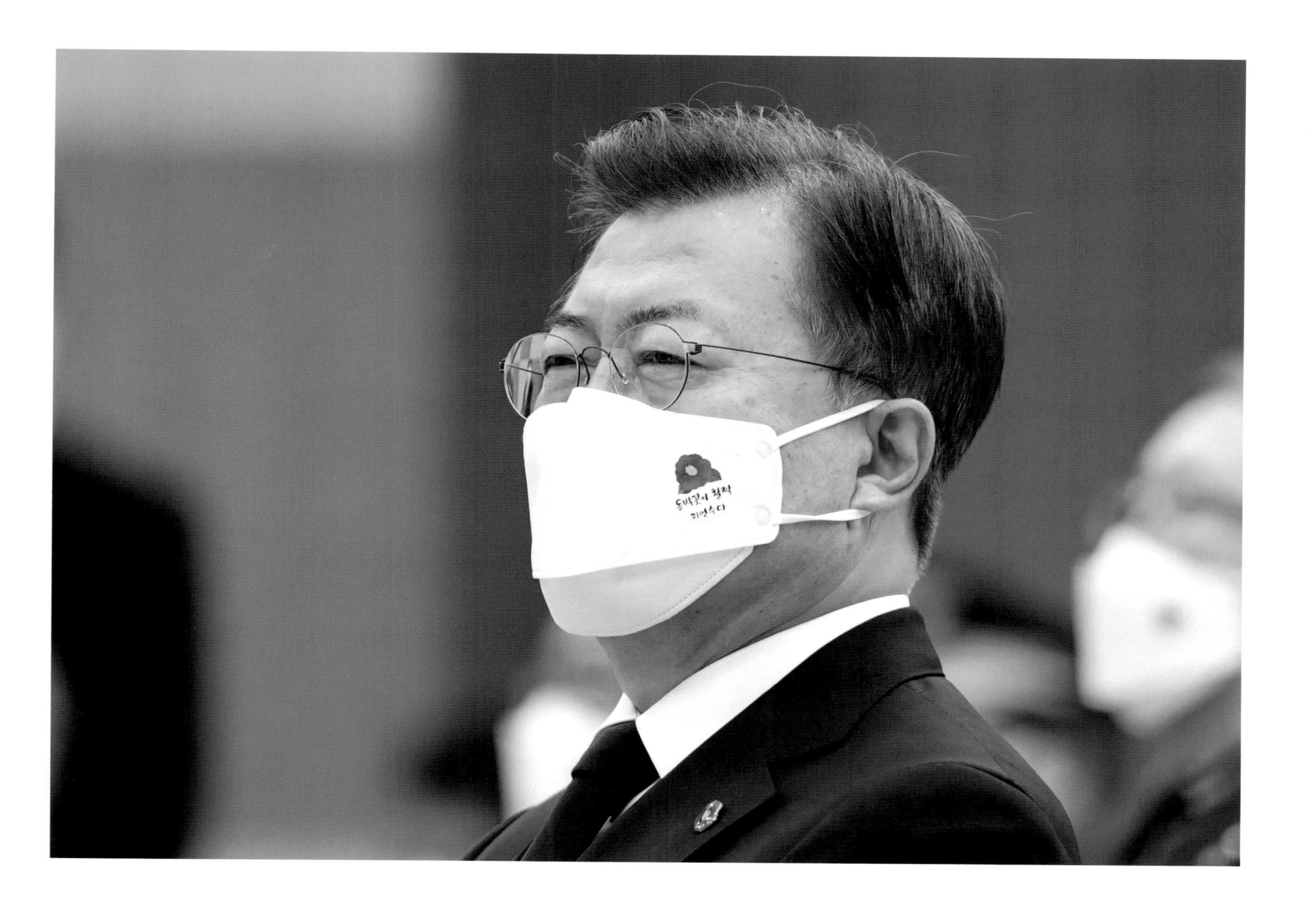

제76회 식목일 기념행사에 참석한 문재인 대통령 내외 | 2021.4.5

제76회 식목일 기념행사에서 발언하는 문재인 대통령 | 2021.4.5

차세대 전투기 'KF-21'의 시제기 출고식에서 발언하는 문재인 대통령 | 2021.4.9

주한 외국대사 신임장 제정식을 마치고 환담장으로 이동하는 문재인 대통령 | 2021.4.14

기후정상회의에서 조 바이든 미국대통령과 화상 회담하는 문재인 대통령 | 2021.4.22

서울 명동성당에 마련된 정진석 추기경의 빈소로 향하는 문재인 대통령 내외 | 2021.4.29

한미 정상회담에 참석하기 위해 미국 워싱턴 앤드류스 공군기지에 도착한 문재인 대통령 | 2021.5.20

백악관에서의 한미정상회담을 마치고 기자회견중인 문재인 대통령 | 2021.5.22

‘한미 백신 기업 파트너십 행사’에 참석한 문재인 대통령 | 2021.5.22

미국 워싱턴에서 교민들과 만난 문재인 대통령 | 2021.5.23

'2021 P4G 서울 녹색미래 정상회의' 개회식에서 연설하는 문재인 대통령 | 2021.5.30

영국 콘월에서 열린 G7 정상회의에 참석한 문재인 대통령 내외 | 2021.6.13

G7 정상회의에서 참가국 정상들과 함께 | 2021.6.13

오스트리아를 국빈 방문중인 문재인 대통령 | 2021.6.15

건강보험 보장성 강화대책 4주년 성과 보고대회에 참석한 문재인 대통령 | 2021.8.12

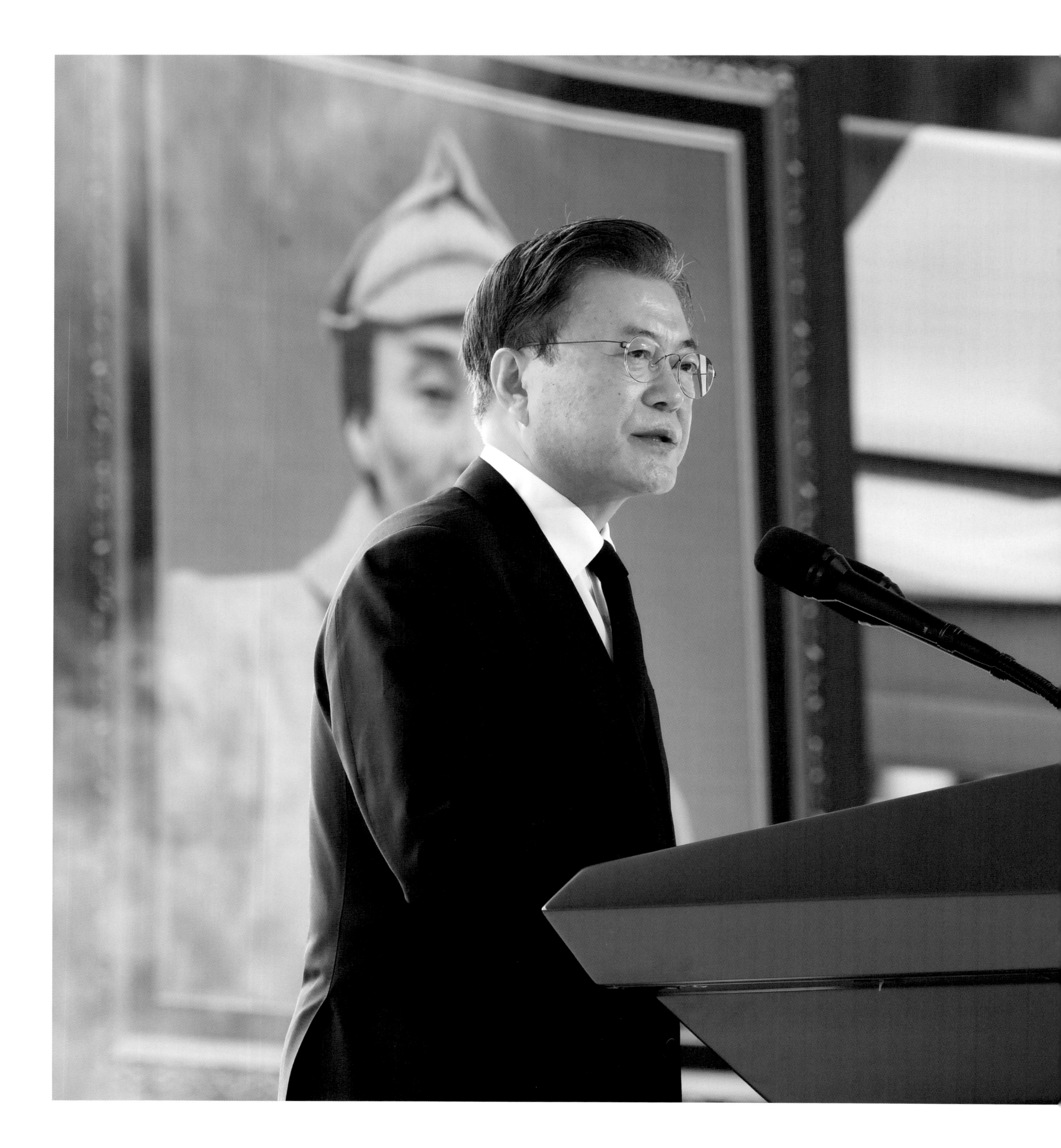

국립대전현충원에서 열린 홍범도 장군 유해 안장식에서
추념사를 하는 문재인 대통령 | 2021.8.18

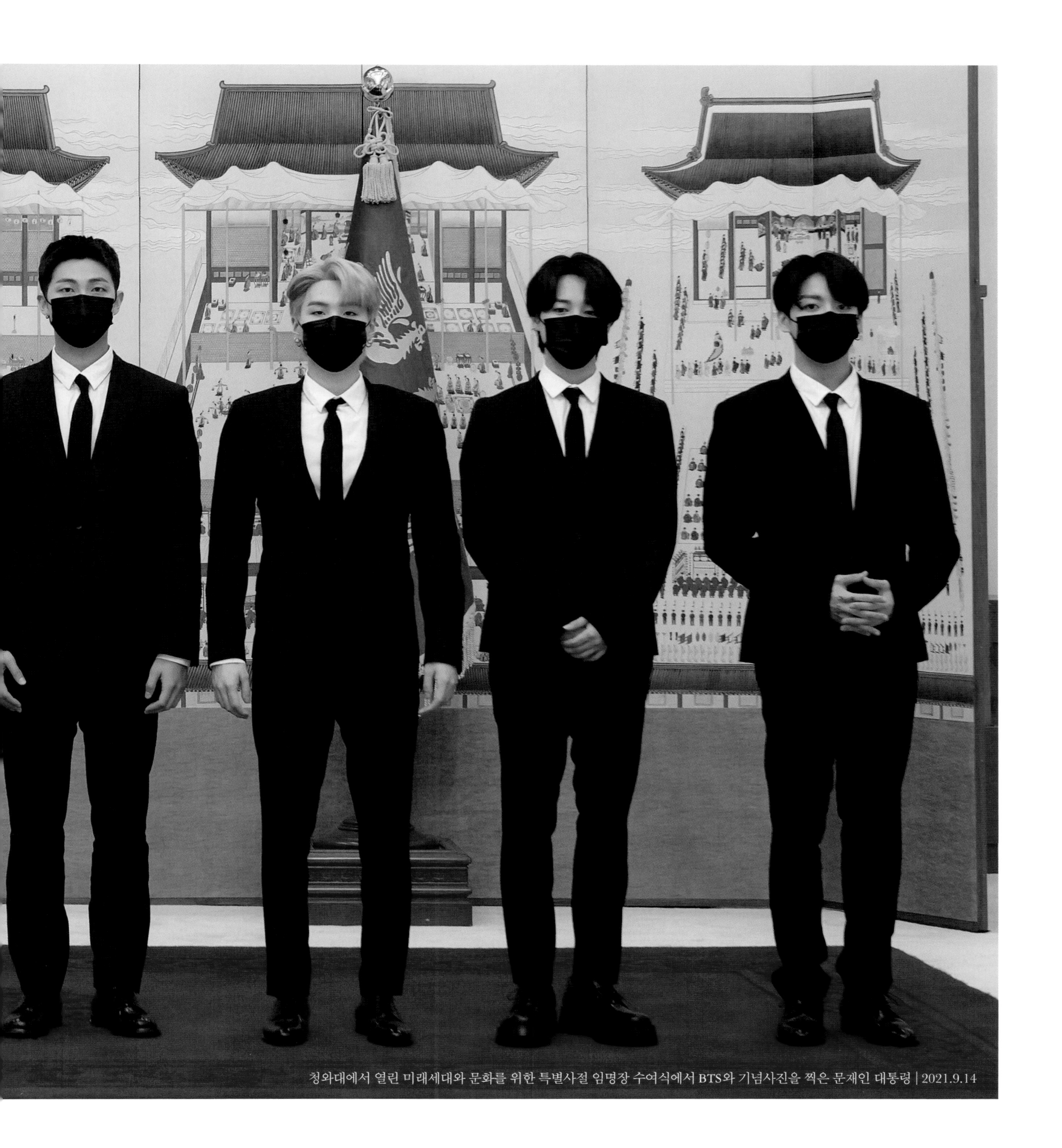

청와대에서 열린 미래세대와 문화를 위한 특별사절 임명장 수여식에서 BTS와 기념사진을 찍은 문재인 대통령 | 2021.9.14

미국 뉴욕에서 화이자 회장을 접견하는 문재인 대통령 | 2021.9.21

미국 ABC방송과의 인터뷰에 앞서 BTS와 환담중인 문재인 대통령 | 2021.9.22

미국 하와이 펀치볼 국립묘지 한국전 참전 무명용사의 벽을 방문한 문재인 대통령 | 2021.9.23

제73주년 국군의 날 기념식에서 경례하는 문재인 대통령 | 2021.10.1

한국형 발사체 '누리호(KSLV-2)'의 발사 참관을 마치고
연구원을 격려하는 문재인 대통령 | 2021.10.21

이탈리아 로마에서 열린 '철조망, 평화가 되다' 전시회에서 LED 촛불 점등식을 하는 문재인 대통령 | 2021.10.29

스코틀랜드에서 열린 유엔기후변화협약 정상회의에 참석한 문재인 대통령 | 2021.11.1

유엔기후변화협약 당사국 총회 의장국 프로그램에 참석한 문재인 대통령 | 2021.11.2

준장 진급자 삼정검 수여식에서 진급 장성의 경례를 받고 있는 문재인 대통령 | 2021.11.6

2021 국민과의 대화 '일상으로'에서 밝은 표정을 짓고 있는 문재인 대통령 | 2021.11.21

국가인권위원회 설립 20주년 기념식에서 대한민국 인권상을 수여하는 문재인 대통령 | 2021.11.25

충남 녹도 초등학생들과 화상 대화 도중 환하게 웃는 문재인 대통령 | 2021.12.2

사회복지공동모금회에 성금을 전달하는 문재인 대통령 내외 | 2021.12.3

국빈 방문 중인 호주에서 한국전 참전용사를 만난 문재인 대통령 | 2021.12.13

호주 시드니에서 스콧 모리슨 호주 총리와 기념 촬영하는 문재인 대통령 내외 | 2021.12.15

한국-우즈베키스탄 정상회담에서 기념촬영하는 문재인 대통령 | 2021.12.17

울산 태화강 - 부산 일광 구간을 운행하는 광역전철에 시승한 문재인 대통령 | 2021.12.28

국립서울현충원 참배를 마치고 방명록을 작성하는 문재인 대통령 | 2022.1.2

'2022년 신년 인사회'에서 연설하는 문재인 대통령 | 2022.1.3

청와대에서 화상으로 열린 '2022 신년 인사회'에 참석한 문재인 대통령 | 2022.1.3

두바이 엑스포 한국의 날 공식행사에서 연설하는 문재인 대통령 | 2022.1.16

두바이 엑스포 쥬빌리공원에서 열린 K-POP콘서트에서 공연을 관람하는 문재인 대통령 내외 | 2022.1.17

훈센 캄보디아 총리와 인사하는 문재인 대통령 | 2022.2.11

외국인투자기업인과의 대화에 참석한 문재인 대통령 | 2022.2.17

제57기 육군3사관학교 졸업 및 임관식에서 임관장교에게 계급장을 수여하는 문재인 대통령 | 2022.2.28

제103주년 3·1절 기념식에서 태극기를 흔드는 문재인 대통령 | 2022.3.1

제103주년 3·1절 기념식에서 연설하는 문재인 대통령 | 2022.3.1

제20대 대통령선거 사전투표소에서 투표하는 문재인 대통령 내외 | 2022.3.4

신임 대사들에게 신임장을 수여한 문재인 대통령 | 2022.3.4

경북 울진군 화재현장을 방문한 문재인 대통령 | 2022.3.6

청와대 여민관에서 열린 수석보좌관 회의에서 발언하는 문재인 대통령 | 2022.3.28

합장 반배하는 문재인 대통령 내외 | 2022.3.30

북악산 남측 탐방로를 통해 만세동방에 도착한 문재인 대통령 내외 | 2022.4.5

임기 마지막 날 환호하는 시민들에게 발언하는 문재인 대통령 내외 | 2022.5.9

2017
0510
2022
0509

대통령 문재인 화보집

초판 1쇄 펴낸 날 2023년 5월 30일

엮은이 편집부 | **펴낸이** 장영재 | **펴낸곳** (주)미르북컴퍼니 | **자회사** 더휴먼 | **전화** 02)3141-4421 | **팩스** 0505-333-4428
등록 2012년 3월 16일(제313-2012-81호) | **주소** 서울시 마포구 성미산로32길 12, 2층 (우 03983)
E-mail sanhonjinju@naver.com | **카페** cafe.naver.com/mirbookcompany | **SNS** instagram.com/mirbooks

• (주)미르북컴퍼니는 독자 여러분의 의견에 항상 귀 기울이고 있습니다.
• 파본은 책을 구입하신 서점에서 교환해 드립니다.